よまにゃ自由帳

集英社文庫

デザイン / 徳野佑樹

イラストレーション / Noritake

集英社文庫

よまにゃ自由帳

2020年6月25日　第1刷　　定価はカバーに表示してあります。

発行者　徳永　真

発行所　株式会社 集英社

東京都千代田区一ツ橋2-5-10　〒101-8050

電話　【編集部】03-3230-6095

【読者係】03-3230-6080

【販売部】03-3230-6393(書店専用)

印　刷　図書印刷株式会社

製　本　図書印刷株式会社

フォーマットデザイン　アリヤマデザインストア　　マークデザイン　居山浩二

ISBN978-4-08-744126-0 C0100